La maîtresse a peur du noir

ILLUSTRATIONS
DE BENJAMIN CHAUD

Chapitre 1

Cette semaine, les enfants partent en classe verte. Ils vont faire des randonnées, des mathématiques et des dictées en profitant de l'air pur des montagnes. Dans le car, Éline ne quitte pas son doudou.

C'est une vieille poupée toute moche, mais qu'elle aime beaucoup. Elle explique que, sans elle, elle ne pourrait jamais s'endormir dans le noir.

Les autres enfants commencent à rire, mais la maîtresse se fâche tout rouge.

– Eh bien moi,
je **parie** que la
maîtresse aussi
a peur du noir !
chuchote Marine.
Sinon, elle ne
s'énerverait pas pour si peu.

– Les grandes personnes
n'ont pas peur du noir !
réplique Louis. Elles sont
trop vieilles pour ça !

– Pas du tout,
insiste Marine :
ma grand-mère
dort avec une **veilleuse**, alors…

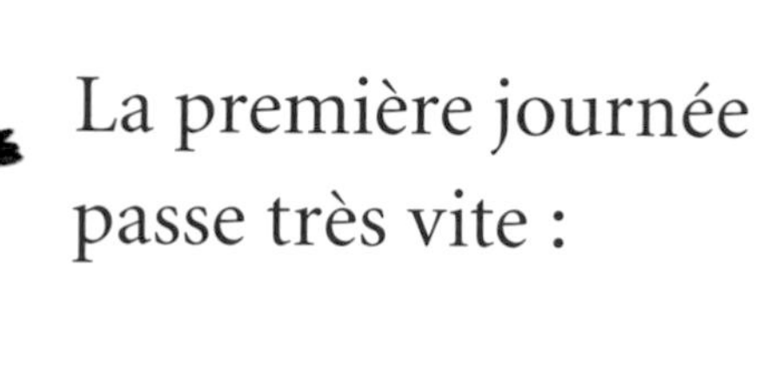

La première journée
passe très vite :

on s'installe,

on défait
les bagages,

on dîne…

… et le soir, **zou !**
les enfants se
retrouvent tout
seuls dans les **dortoirs**.

Dehors, il y a des bruits bizarres. **Brrr !**

C'est peut-être des loups,

ou des monstres,

ou un fantôme !

Et dans le couloir, on entend des pas légers.

Brrr !

Chapitre 2

Le lendemain matin,
au petit déjeuner,
les enfants s'interrogent.
La **maison** serait-elle
hantée ? Lucas est
le seul à se taire.

Il écoute, un petit
sourire aux lèvres,
tout en grignotant
une énorme tartine.

Au bout d'un moment, Lucas lâche :
– Moi, je l'ai vu, le fantôme
du couloir ! C'est une femme.

– Alors, c'est une Dame blanche ! s'écrie Éline. Elle a fait jadis quelque chose de terrible ici, et elle revient hanter les lieux de son crime !

– Elle n'était pas du tout blanche, rectifie Lucas. Elle portait une robe rose avec des pois.

– Comme j'aimerais la voir aussi… chuchote Louis.

À cet instant, la maîtresse s'approche de la table pour dire aux enfants d'aller se brosser les dents avant la promenade en forêt.

– Regardez, elle a des tout petits yeux, on dirait qu'elle n'a pas bien dormi… murmure Éline.

– La pauvre, elle a dû entendre le fantôme, elle aussi… Déjà qu'elle a peur du noir… répond Lucas.

Chapitre 3

Quand le soir arrive, les enfants montent sagement à l'étage, pour rejoindre les chambres. Mais ils sont bien décidés à essayer de surprendre la Dame blanche.

Comme la maîtresse a peur du noir, aucun risque qu'elle vienne les gronder parce qu'ils ne dorment pas.

Ils attendent longtemps, longtemps. Enfin, à minuit, on entend un grincement sinistre dans le couloir.

Filles et garçons **entrouvrent** tout doucement la porte des dortoirs.

Ils aperçoivent une ombre rose s'engager dans l'escalier.

– C’est elle, suivons-la !

souffle Lucas.

Et quatre petites **silhouettes**

se faufilent à leur tour pour

descendre les marches.

Au rez-de-chaussée, une faible lueur brille dans la grande cuisine. Le cœur battant, les enfants s'approchent à pas de loup…

… et découvrent leur maîtresse.
Vêtue d'une drôle de chemise
de nuit rose à pois, elle farfouille
dans l'immense réfrigérateur en
chantonnant un petit air **guilleret**.

Soudain, elle se retourne, aperçoit ses élèves et s'exclame :
– Ah, vous aussi, vous avez toujours une petite faim, la nuit ?!
Et elle poursuit :
– C'est une folie, mais j'ai soudain eu une TERRIBLE envie de glace à la vanille, avec beaucoup de chantilly !

Lucas éclate de rire :
– Vous avez bien raison : rien de tel qu'un peu de chantilly pour chasser la peur du noir…
et faire fuir
les fantômes !

Fin

300, rue Léon-Joulin, 31101 Toulouse Cedex
www.editionsmilan.com
Loi 49.956 du 16.07.1949 sur les publications
Dépôt légal : 4e trimestre 2013
ISBN : 978-2-7459-2696-8
Imprimé en France par Pollina - L66832C
Création graphique : Bruno Douin

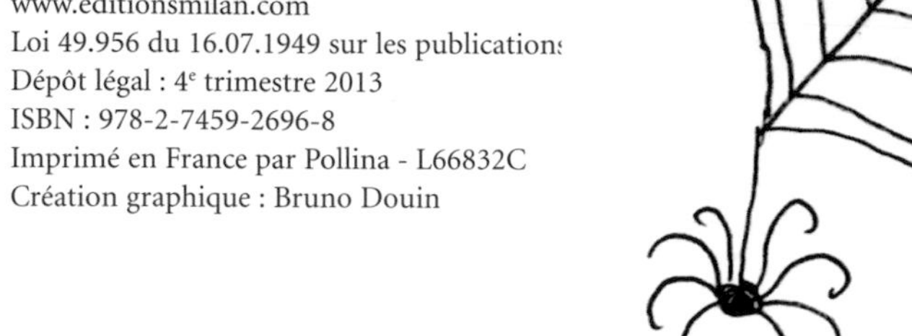